GIULIO BRICCIALDI

CONCERTO IN SI BEMOLLE MAGGIORE PER FLAUTO E ORCHESTRA

CONCERTO IN B FLAT MAJOR FOR FLUTE AND ORCHESTRA

RIDUZIONE PER FLAUTO E PIANOFORTE
REDUCTION FOR FLUTE AND PIANO

REVISIONE DI - EDITED BY
GINEVRA PETRUCCI

RICORDI

Riduzione per flauto e pianoforte di | *Piano reduction by*
Ginevra Petrucci – Paola Pisa

Traduzione di | *Translation by*
David Lawton

Printed in Italy
141570
ISMN 979-0-041-41570-3

GIULIO BRICCIALDI
(1818-1881)

Giulio Briccialdi, nato a Terni il 2 marzo del 1818, manifestò fin da ragazzo una grande vocazione per la musica e iniziò lo studio del flauto sotto la guida del padre. Rimasto orfano del genitore all'età di 12 anni, continuò gli studi con maestri locali per poi trasferirsi a Roma e perfezionarsi sotto la guida di Giuseppe Maneschi, virtuoso di flauto e insegnante presso l'Istituto "Santa Cecilia". Dopo il soggiorno romano, legato principalmente agli studi sia privati che accademici, Briccialdi iniziò la sua attività professionale collaborando con le orchestre dei numerosissimi teatri d'opera italiani ed europei. Si affermò come "primo flauto" di valore al quale, inoltre, si poteva domandare l'esecuzione degli intermezzi strumentali proposti tra un atto e l'altro dello spettacolo, con la certezza di una indiscussa acclamazione del pubblico.

Fra i teatri con cui collaborò spiccano per importanza quelli di Napoli (Teatro San Carlo), Milano (Teatro alla Scala), Bologna (Teatro Comunale), Venezia (Teatro La Fenice), Roma (Teatro Argentina). Il peregrinare da una città all'altra incrementò rapidamente la sua fama al punto tale da ricevere il prestigioso incarico di maestro del Conte di Siracusa, fratello del Re di Napoli, Ferdinando di Borbone.

Nel 1839, al termine del rapporto con la corte napoletana, Briccialdi raggiunse Milano dove proseguì le sue molteplici attività in una zona di grande fermento artistico e notevolmente più vicina a quei paesi mitteleuropei che, certamente, erano fra le sue mete per la consacrazione internazionale del suo talento.

Dal maggio 1841 e per i successivi dieci anni, Briccialdi operò con un successo sempre crescente nelle capitali e nei centri musicali di tutta Europa: soggiornò a Vienna (dove conobbe Gaetano Donizetti), Graz, Linz, Pest, Karlsruhe, München, Nizza, Londra. In queste città intessé rapporti con artisti di grande prestigio e notorietà, come i violoncellisti Alfredo Piatti e Adrien Servais, il contrabbassista Giovanni Bottesini, i pianisti Sigismund Thalberg, Theodor von Döhler, Moritz Strakosch e il violinista Antonio Bazzini.

Le nuove esigenze tecnico-espressive e l'aggiornamento delle possibilità meccaniche del flauto che la sensibilità musicale dei suoi tempi favoriva, spinsero Briccialdi alla realizzazione di un nuovo sistema di chiavi basato su un approccio scientifico. Trascorsero anni fecondi anche dal punto di vista della composizione e della sua affermazione come virtuoso, didatta, compositore e organologo. Fondamentale in tal senso fu il soggiorno in Inghilterra, protrattosi fino al 1851 anno in cui Briccialdi rientrò in Italia per una turbinosa attività solistica nei maggiori teatri nazionali e per dedicarsi alla composizione. Nel 1857, pregno di ideali risorgimentali, si impegnò in diversi concerti finalizzati alla raccolta di fondi per "l'acquisto di un milione di fucili proposto dal Generale Garibaldi". Nel 1860 assunse la carica ufficiale di maestro della Banda Civica di Fermo e nel 1871 ottenne l'incarico ministeriale di insegnante di flauto presso l'Istituto Musicale di Firenze, formando negli anni degli ottimi flautisti. Dal 1879 cominciò ad accusare problemi di salute e il 17 dicembre del 1881, all'età di sessantatré anni, si spense colui che è considerato uno dei maggiori flautisti dell'Ottocento.

Briccialdi fu un artista che seppe coniugare le espressioni emblematiche del romanticismo musicale, dal culto della personalità alla capacità di variare la propria attività, lavorando contemporaneamente nelle vesti di virtuoso, didatta, compositore e organologo. Tutti elementi comuni ai virtuosi dell'epoca, protagonisti di una civiltà musicale che mandava tramite la loro opera gli estremi bagliori. La leggenda del "principe dei flautisti" era destinata a proseguire il suo cammino grazie all'essenza della sua lezione: l'arte coniugata all'artigianato, il belcanto coniugato al virtuosismo.

NOTE DEL REVISORE

Considerazioni sul catalogo di Briccialdi

Di Briccialdi conosciamo 227 composizioni, tra brani didattici, cameristici, vocali, sinfonici e opere teatrali. L'analisi e la compilazione del catalogo risultano tuttavia assai problematiche se si considera la difficoltà di rintracciare riferimenti inequivocabili riguardo a date di composizione, numeri d'opera e manoscritti.

Ciò che rende arduo l'ordinamento è la consuetudine dell'autore di pubblicare lo stesso brano varie volte per diversi editori, con titoli e numeri d'opera differenti. Il vero obiettivo di un compositore virtuoso come Briccialdi – e del suo editore – era la diffusione di un materiale pubblicato potenzialmente di immediato successo e alla moda. La volontà di storicizzarsi non apparteneva alle logiche imprenditoriali di un artista romantico, e ciò spiega la scomparsa quasi totale dei manoscritti di Briccialdi, il quale con ogni probabilità consegnava le stesure originali dei suoi brani agli editori senza conservarne copia.

Limitando il campo alle opere per flauto e orchestra, le diciannove composizioni a noi note sono suddivise come segue:

- cinque concerti in tre movimenti (del quinto concerto sono andate perdute sia la partitura, sia le parti d'orchestra: esiste solo la versione per flauto e pianoforte e una riduzione per flauto, quartetto archi e pianoforte);
- cinque brani con titoli caratteristici (*La Sirena, Ballabile da Concerto, La Serenata, Allegro alla Spagnola, L'Inglesina*);
- sette parafrasi su temi tratti da melodrammi di Auber, Donizetti, Verdi, Gomes;
- un concerto per due flauti (non suddiviso in movimenti);
- una trascrizione per due flauti e orchestra d'archi delle *Soirées musicales* di Rossini.

Le fonti del Concerto

Il concerto è qui pubblicato in prima edizione moderna con l'ausilio delle fonti di seguito elencate. La partitura d'orchestra e le relative parti staccate sono disponibili a noleggio presso l'editore.

1) *Terzo concerto per flauto con accompagnamento d'orchestra*, partitura autografa senza numero d'opera e senza data di composizione (Terni, Istituto Superiore di Studi Musicali G. Briccialdi): è la fonte principale per questo concerto.
2) *Terzo Concerto op. 65*, Milano, Giovanni Ricordi, 1852c. (n.l. 24412). Versione per flauto e pianoforte in cui è aggiunta una intera sezione nel primo movimento ed è modificata la conclusione del terzo movimento. Nelle note in calce della presente edizione è citata con la sigla Rfp.

Criteri dell'edizione

Briccialdi, compositore-virtuoso, fece dei suoi concerti un uso strettamente personale. Dei quattro concerti superstiti, solo quello in Si bemolle maggiore e quello in La bemolle maggiore furono pubblicati all'epoca in versione per flauto e pianoforte con evidenti modifiche, aggiunte e tagli di intere sezioni. Considerata quindi la destinazione e la natura di tale repertorio, è necessario ricordare in questa sede la scarsità di dinamiche, agogiche e articolazioni che Briccialdi pone nella parte del solista. Sporadiche indicazioni vanno a delineare il carattere generale delle sezioni, lasciando ampia libertà al gusto e alla sensibilità dell'interprete.

A tal proposito si è scelto di integrare tacitamente nell'edizione anche le preziose informazioni che si ricavano dalla fonte secondaria a stampa, mentre per le integrazioni della curatrice sono stati impiegati gli usuali segni diacritici (legature e forcelle tratteggiate, dinamiche fra parentesi quadre).

Sempre tacitamente, sono stati corretti errori evidenti delle fonti, mentre si è cercato di conservare nelle note in calce le più interessanti varianti di natura pratico-esecutiva che si ricavano dalla fonte secondaria.

Ginevra Petrucci

GIULIO BRICCIALDI
(1818-1881)

Giulio Briccialdi, born in Terni on 2 March 1818, displayed a great talent for music from childhood, and began to study the flute under his father's guidance. Having lost his father at the age of 12, he continued his studies with local teachers before moving to Rome to perfect his technique under the tutelage of Giuseppe Maneschi, who taught at the Santa Cecilia Institute. After that, Briccialdi began his professional career with the aim of obtaining contracts with orchestras that were being assembled at that time to put on opera seasons in the numerous theatres of every city in Italy and Europe. He went on to be in great demand as a "first flute" who, moreover, could be asked to develop the intermezzi between one act and the next and be certain of enthusiastic applause on the part of the audience.

He collaborated with theaters in Naples (Teatro San Carlo), Milan (Teatro alla Scala), Bologna (Teatro Comunale), Venice (Teatro La Fenice) and Rome (Teatro Argentina).

Through his travels from one city to another he rapidly became widely known, to the point of attaining the highly prestigious position of teacher to the Count of Syracuse, brother of Ferdinand of Bourbon, the King of Naples.

Having resigned his post at the Neapolitan court in 1839, Briccialdi came to Milan, where he carried on his many activities with the advantage of finding himself in an environment of artistic ferment, and in greater proximity to Central European countries. These were without doubt among his goals of obtaining international recognition of his talent.

From May 1841 and for the following ten years, Briccialdi worked with increasing success in the capitals and musical centers of Europe: in Vienna (where he met Gaetano Donizetti), Graz, Linz, Pest, Karlsruhe, München, Nice, London he formed ties with important figures in the musical world of the day, including the cellists Alfredo Piatti and Adrien Servais, the double-bassist Giovanni Bottesini, the pianists Sigismund Thalberg, Theodor von Döhler, Moritz Strakosch and the violinist Antonio Bazzini.

The new technical and expressive standards imposed by the international ambience and the new discoveries of the flute's mechanical potential stimulated Briccialdi to dedicate his efforts to the realization of a new flute system based on a scientific approach. The years that followed were very productive for Briccialdi, both for his compositional output and for the enthusiastic recognition of his multifaceted capacities as a virtuoso, pedagogue and organologist. Briccialdi remained in England until 1851, when he returned to Italy to restart his activity as a soloist in the most important Italian theaters, as well as an instrumental and operatic composer. In 1857, inspired by Risorgimento ideals, he took part personally in various concerts organized to raise funds to support the "purchase of a million rifles proposed by General Giuseppe Garibaldi". In 1860 he was officially appointed Director of the

Banda Civica in Fermo, and in 1871 he was given the post of flute teacher at the Florence Institute of Music where he trained excellent flutists throughout the years. In 1879 his health began to deteriorate, and on 17 December 1881, at the age of sixty-three, one of the major flutists of the 19th century passed away.

Briccialdi was an artist who embodied the emblematic expressions of musical romanticism, from the cult of the personality to the variety of his activities, working at the same time as virtuoso, pedagogue, composer, organologist – all characteristics that virtuosos who were his contemporaries shared, as they all were protagonists of a musical society that was showing its last sparks. The legend of "the prince of the flutists" was destined to carry on through the true essence of his example: art combined with craftsmanship, belcanto combined with virtuosity.

EDITORIAL NOTES

Considerations on Briccialdi's creative work

At present, some 227 compositions by Briccialdi are known, divided into pedagogical, chamber, vocal, symphonic and operatic works. The analysis and the assembling of this body of work prove challenging, however, because of the difficulty of finding reliable information about composition dates, opus numbers and manuscripts.

An element that contributes to such confusion is the author's habit of publishing the same work several times for different publishers, with different titles and opus numbers. The true goal of a virtuoso composer such as Briccialdi – and of his publishers – was the maximum diffusion of the published works. It was essential that they be sufficiently *à la mode* to please a wide audience. The historicization of his compositional output was not a pressing entrepreneurial concern of a romantic artist, and this partly explains the almost total disappearance of Briccialdi's autograph manuscripts, for which the publishers probably received only copies.

Considering first only his works for flute and orchestra, the 19 relevant compositions subdivided as follows:

- five Concertos in three movements (for the fifth Concerto both the orchestral score and the parts are lost: only the flute and piano version and a reduction for flute, string quartet and piano have survived);
- five works with titles (*La Sirena, Ballabile da Concerto, La Serenata, Allegro alla Spagnola, L'Inglesina*);
- seven paraphrases on operatic themes by Auber, Donizetti, Verdi, Gomes;
- a Concerto for two flutes (in Konzertstück form);
- a transcription for two flutes and string orchestra of *Les Soirées Musicales* by Rossini.

The sources of the Concerto

The concerto is published here in their first modern edition based upon the following sources. The orchestral score and the parts are available for rental from the publisher.

1) *Terzo concerto per flauto con accompagnamento d'orchestra*, autograph score without opus number or composition date (Terni, Istituto Superiore di Studi Musicali G. Briccialdi): this is the principal source for this concerto.
2) *Terzo Concerto op. 65*, Milan, Giovanni Ricordi, 1852c. (n.l. 24412). This is a flute and piano version with an added section in the first movement and a modified conclusion to the third movement. In the footnotes of the present edition, this source is indicated as Rfp.

Edition criteria

Briccialdi, virtuoso and composer, intended his concertos for strictly personal use. Among the four surviving concertos only the Concerto in B flat major and the one in A flat major were published during his lifetime in flute and piano versions showing evident modifications, added and eliminated sections. Considering the destination and the nature of this repertoire, it is essential to acknowledge the scarcity of dynamic markings and articulations that Briccialdi notates on the solo parts. Very sporadic indications highlight the general character of the sections, leaving wide liberty to the interpreter's taste and sensibility.

For this reason, it has been decided to add tacitly in this edition the precious indications found in the secondary source, whereas for the editorial interventions the usual diacritic signs have been employed (dotted slurs and hairpins, dynamics in square parenthesis).

Evident mistakes in the sources have also been tacitly corrected; the most interesting practical and interpretative variants taken from the secondary source have been reported in the footnotes.

Ginevra Petrucci

Giulio Briccialdi

Concerto in Si bemolle maggiore

Concerto in B flat major

* Rfp: **Allegro maestoso**

13
[a tempo]
[f]
[a tempo]
ff
f
p
17
21
24

ritard.
a tempo
ritard.
a tempo

* Rfp: La_3
** Rfp: Re_4

* Rfp: ♫𝄾𝄽 (anche a 57)

64
[dolce]
p
67
cresc.
dolce
cresc.
70
f
stent.
rit. colla parte
fp
dolce
74
a tempo
dolce
a tempo
p

78
82
86
90
stent.

94
3
[mf]
p
97
100
103

106
109
112
115

118
121
tr
tr
tr
cresc.
f
cresc.
f
125
3
3
129
3
3

133
137
p
141
145
rit. e dim.
rit. e dim.

Andante sostenuto
[dolce]
Andante sostenuto
p
5
10
15
[dolce]
pp

20
con anima
sf
24
[pp]
[pp]
dolce
p
28
32
36
cresc.
cresc.
f
f
p

Allegro moderato
Allegro moderato
f
p
5
f
p
10
cresc.
f
dim.
p
16
f
p
f

20
24
p
29
32

* Rfp: ♫ 𝄾 𝄽 (anche a 38)

48
cresc.
p
cresc.
f p
52
56
p
60

64
3
f
fp
68
3
3
3
[>]
tr
[>]
71
3
3
74
tr
[mp]

77
dolce
pp
81
84
f
p
88
f
p

92
[mp]
cresc.
tr
p
96
99
102

105
108
pp
111
114

117
120
cresc.
Più mosso
f
Più mosso
p
cresc.
f
p
124
cresc.
127
ff
mf
ff
* Rfp:

GIULIO BRICCIALDI

CONCERTO IN SI BEMOLLE MAGGIORE PER FLAUTO E ORCHESTRA

CONCERTO IN B FLAT MAJOR FOR FLUTE AND ORCHESTRA

RIDUZIONE PER FLAUTO E PIANOFORTE
REDUCTION FOR FLUTE AND PIANO

REVISIONE DI - EDITED BY
GINEVRA PETRUCCI

FLAUTO SOLISTA - SOLO FLUTE

RICORDI

Giulio Briccialdi

Concerto in Si bemolle maggiore
Concerto in B flat major

* Rfp: **Allegro maestoso**

* Rfp: La_3 | ** Rfp: Re4 | *** Rfp: ♫𝄾𝄽 (anche a 57)

67
cresc.
f
72
stent.
[. .]
a tempo
dolce
77
82
87
92
stent.
3
95
3
[mf]
98
100
102

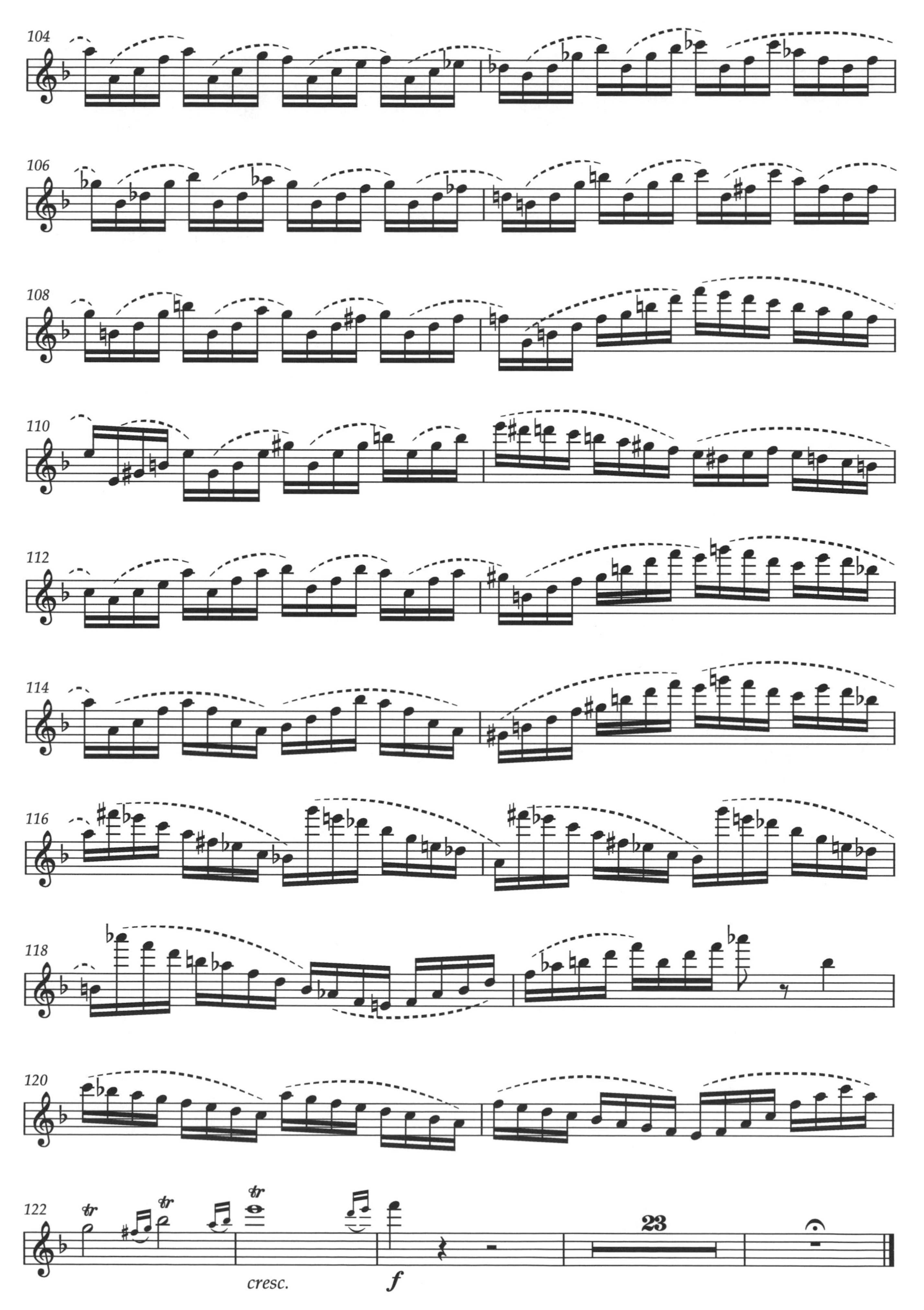
104
106
108
110
112
114
116
118
120
122
23
cresc.
f

Andante sostenuto
[dolce]
6
11
3
16
3
[dolce]
con anima
21
3
sf
[pp]
3
26
dolce
31
3
3
3
3
36
cresc.
f

* Rfp: (anche a 38)

47
tr
cresc.
52
56
61
65
f
69
[>]
tr
[>]
73
tr
[mp]
77
tr
dolce
81
84
f
89
6
[mp]

Più mosso
f
cresc.
ff
* Rfp:

Printed in Italy
141570
ISMN 979-0-041-41570-3